Ned a Moi Cnoi

Argraffiad cyntaf: 2015
Ail argraffiad 2018

Dymuna'r cyhoeddwyr gydnabod cymorth ariannol Adran
Addysg a Sgiliau (ADaS) Llywodraeth Cymru.

Dylunio: Richard Ceri Jones

Rhif Llyfr Rhyngwladol: 978-1-78461-219-1

Cyhoeddwyd ac argraffwyd yng Nghymru
ar bapur o goedwigoedd cynaladwy gan
Y Lolfa Cyf, Talybont, Ceredigion SY24 5HE
gwefan www.ylolfa.com
e-bost ylolfa@ylolfa.com
ffôn 01970 832 304
ffacs 832 782

Ned a Moi Cnoi

Haf Llewelyn

Lluniau Valériane Leblond

Dyma Ned.

Morwr ydy Ned.

Dyma Moi Cnoi.

Ci ydy Moi Cnoi.

Ci Ned ydy Moi Cnoi.

Mae Moi Cnoi yn y cwch.

Mae Moi Cnoi a Ned
yn y cwch.

Ci da ydy Moi…

... ond mae Moi yn cnoi.

Mae Moi yn cnoi welis Ned.

Mae Moi yn cnoi het Ned.

Mae Moi yn cnoi rhaff Ned.

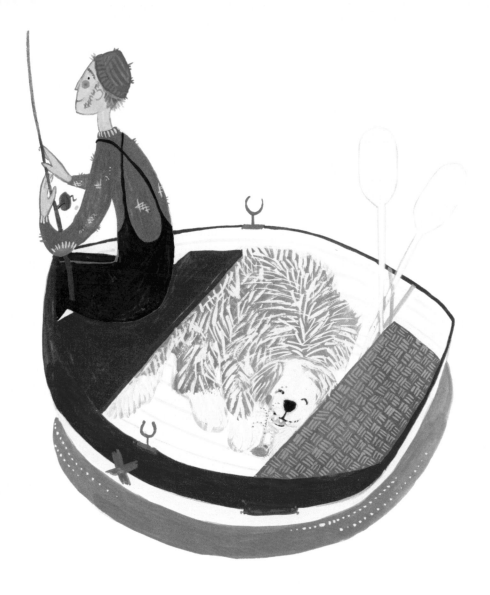

Mae Moi yn cnoi twll
yn y cwch.

Mae cwch Ned a Moi
ar y môr.

O na! Mae twll yn y cwch.
O na! Mae dŵr yn y cwch.

Sblish, sblash.

Sblish, sblash.

Mae'r cwch **ar** y môr mawr.

Mae Ned a Moi **yn** y
môr mawr.

Twt lol, Moi Cnoi!

Geiriau ychwanegol Llyfr 2

Moi Cnoi	da
ci	cnoi
welis	het
rhaff	wedi
twll	ond
Twt lol	dŵr

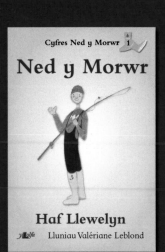

Cyfres Ned y Morwr 1

Ned y Morwr

Haf Llewelyn

y olfa Lluniau Valériane Leblond

Cyfres Ned y Morwr 2

Ned a Moi Cnoi

Haf Llewelyn

y olfa Lluniau Valériane Leblond

Cyfres Ned y Morwr 4

Moi a'r Siarc

Haf Llewelyn

y olfa Lluniau Valériane Leblond

Cyfres Ned y Morwr 3

Ned a Moi yn Pysgota

Haf Llewelyn

y olfa Lluniau Valériane Leblond

Cyfres Ned y Morwr 5

Paid, Taid!

Haf Llewelyn

y olfa Lluniau Valériane Leblond

www.ylolfa.com